roman bleu

Dominique et Compagnie

Sous la direction de

Agnès Huguet

Martine Latulippe

Lorian Loubier, détective privé ?

Illustrations
Bruno St-Aubin

Catalogage avant publication de Bibliothèque et Archives Canada

Latulippe, Martine, 1971-
Lorian Loubier, détective privé?
(Roman bleu ; 15)
Pour les jeunes de 10 ans et plus.

ISBN-13 : 978-2-89512-511-2
ISBN-10 : 2-89512-511-2
I. St-Aubin, Bruno. II. Titre.
III. Collection

PS8573.A781L672 2006 jC843'.54 C2005-942388-9
PS9573.A781L672 2006

© Les éditions Héritage inc. 2006
Tous droits réservés
Dépôts légaux : 3e trimestre 2006
Bibliothèque et Archives nationales
du Québec
Bibliothèque nationale du Canada
Bibliothèque nationale de France

ISBN-13 : 978-2-89512-511-2
ISBN-10 : 2-89512-511-2
Imprimé au Canada

10 9 8 7 6 5 4 3 2 1

Direction de la collection
et direction artistique :
Agnès Huguet
Conception graphique :
Primeau & Barey
Révision-correction :
Céline Vangheluwe

Dominique et compagnie
300, rue Arran
Saint-Lambert (Québec)
J4R 1K5 Canada
Téléphone : (514) 875-0327
Télécopieur : (450) 672-5448
Courriel :
dominiqueetcie@editionsheritage.com
Site Internet :
www.dominiqueetcompagnie.com

Nous remercions le Conseil des Arts
du Canada de l'aide accordée à notre
programme de publication. Nous reconnaissons l'aide financière du gouvernement du Canada par l'entremise du
Programme d'aide au développement
de l'industrie de l'édition (PADIÉ) pour
nos activités d'édition.

Nous reconnaissons l'aide financière du
gouvernement du Québec par l'entremise du Programme de crédit d'impôt
pour l'édition de livres – SODEC – et du
Programme d'aide aux entreprises du
livre et de l'édition spécialisée.

À Marc Simard Natarén

Chapitre 1

Mon père me cache quelque chose. Je le sens. Je le flaire. J'en suis sûr. J'ai douze ans – presque treize – et je vis seul avec papa depuis douze ans – presque treize – moins trente-sept heures, puisque ma mère nous a quittés exactement trente-sept heures après ma naissance. Je peux donc affirmer que je connais bien mon père. Très bien, même.

Ce qu'il faut d'abord savoir, c'est que papa déteste voyager. Il n'arrête pas de répéter qu'on n'est jamais aussi bien qu'à la maison et il se moque de ceux qui reviennent de vacances tout essoufflés d'avoir parcouru la planète. Ce qui doit ensuite être dit, c'est qu'il y a une chose que papa déteste encore plus que les voyages : le camping. Il n'arrive pas à comprendre quel plaisir on peut avoir à dormir par terre, à servir de buffet à volonté aux moustiques et à prendre sa douche dans une cabine où se sont lavés vingt-cinq inconnus dans la même journée. Enfin, il faut préciser qu'en douze ans — presque treize — nous ne sommes jamais partis en vacances, car papa doit être disponible en tout temps pour ses patients. Leurs problèmes ne prennent pas congé, explique-t-il, alors leur psychanalyste non plus.

Voilà, c'est dit. Mon père est ainsi. Et pourtant... me voilà à Old Orchard

Beach. Aux États-Unis. Seul avec papa. En voyage. À près de 500 km de la maison. Pour une semaine. Cent soixante-huit heures. Et en camping.

Il y a quelques jours, mon père m'a glissé, mine de rien, avec un sourire complice :

– J'ai bien envie qu'on parte tous les deux, Lorian. Des vacances entre hommes !

Je l'ai regardé d'un air soupçonneux, sans répondre. Depuis septembre dernier, papa ne fait aucun projet sans y inclure sa nouvelle amoureuse, Sarah, la mère de la jolie, de la charmante, de l'irrésistible… euh… de ma *demi-sœur* Zoé. Zoé est la plus belle fille de mon quartier. De mon pays. De tout le continent. Je suis fou d'elle depuis la maternelle. J'aurais pu l'être bien avant, mais je ne la

connaissais pas car nous n'allions pas
à la même garderie. Et entre toutes
les femmes de la planète, il a fallu que
papa tombe amoureux de qui ? De la
mère de Zoé. Ce qui en fait en quelque sorte ma demi-sœur…

Devant mon silence obstiné, papa
a insisté :

– Tu n'aimerais pas voyager avec
moi ?

Je rêve depuis des années de devenir superhéros et, à force de m'entraîner avec ma complice Wonder-Mégane, j'ai mis au point quelques trucs. Super-Lorian sait percer le secret des âmes, j'en suis convaincu. Par la seule force de mon regard, je ferais avouer la vérité à mon père. J'ai plongé mes yeux dans les siens, toujours sans dire un mot.

– Parfait, a conclu papa, ravi. Puisque tu es d'accord, c'est décidé ! On s'en va à Old Orchard Beach !

Et il a quitté la pièce en sifflotant. Sous le choc, je n'ai rien pu lui soutirer de plus. Il faudra retravailler le coup du regard, Lorian ! Pour l'instant, je n'ai pas percé grand-chose. Mais personne ne m'enlèvera de la tête que la situation est louche. Très louche.

• • •

Bienvenue à Old Orchard Beach ! Nous sommes arrivés ! Le ciel est incroyablement bleu, le soleil éclatant. Tout au long du voyage, environ huit longues heures, papa a chantonné. Il n'a pas arrêté, même quand on s'est trompés de sortie d'autoroute pour la troisième fois, ce qui a rallongé le trajet de cinquante minutes. Et pendant que nous montions la tente, il fredonnait encore. Pourtant, l'exercice nous a quand même pris une heure trente, alors que la publicité sur la boîte garantissait un montage en dix minutes. Décidément, rien ne semble devoir affecter la bonne humeur de mon père.

– Je vais prendre une douche, Lorian ! J'ai eu si chaud dans la voiture…

Après, on va à la plage !

Il me décoche un clin d'œil et sort de la tente, tout guilleret, pour aller prendre une douche dans la cabine qui a déjà servi à laver vingt-cinq inconnus avant lui. J'installe mon sac de couchage tandis qu'il ferme la porte derrière lui. Je l'entends s'éloigner. Il a à peine dû faire deux ou trois pas.

– Papa ?

– Oui, Lorian ?

– Pourquoi on est ici ?

Papa revient à la tente, ouvre la fermeture éclair, et me répond, l'air faussement étonné :

– Je pensais que ça te ferait plaisir, Lorian…

– Bien sûr, mais on n'a jamais pris de vacances ensemble en douze ans, presque treize…

– Eh bien, ça prouve qu'il était grand temps de le faire! s'exclame-t-il joyeusement en refermant la porte.

Il s'éloigne. De trois ou quatre pas, je dirais.

– Papa?

– Oui, Lorian?

– Pourquoi Old Orchard?

Mon père fait demi-tour, ouvre de nouveau la fermeture éclair. Incroyable, il sourit encore!

– Parce que quand j'étais petit, c'est ici que je passais une partie de l'été avec mes parents. Tu adoreras, tu vas voir! Pas d'autre question, Lorian?

Je fais non de la tête.

– Je peux aller prendre une douche?

Je fais oui de la tête.

– Tu es sûr?

Oui-oui de la tête.

Papa referme encore une fois la

porte. J'attends quelques secondes. L'équivalent de cinq ou six pas.

– Papa ?

– Ouuuui ?

Ah, quand même ! Je sens un peu d'irritation dans son «Oui». Papa est encore humain. Je suis rassuré.

– Non, laisse tomber. Ça va.

Mon père repart. Il me cache quelque chose, c'est clair. Voilà ta nouvelle mission, Super-Lorian : découvrir ce que tu fais ici. À Old Orchard Beach. En vacances. En camping. Savoir pourquoi, tout à coup, ton père a senti ce besoin de voyager.

Peut-être que ses bagages contiennent un indice qui me mettrait sur la bonne voie ? Peut-être que j'y découvrirais quelque chose qui éclairerait la situation ? Je reluque sa valise d'un œil hésitant. Je déteste fouiller dans les affaires des autres. Mais est-ce que Sherlock Holmes aurait pu résoudre tant d'énigmes sans jamais recourir à ce moyen ? Hercule Poirot aurait-il réussi une seule enquête en respectant l'intimité du suspect ? Bien sûr que non ! Allons, Lorian, oublie ton rôle de superhéros un moment ; il est temps de devenir détective !

En jetant sans arrêt des regards nerveux vers la porte de la tente, je m'approche de la valise d'un air coupable. Je la touche du bout des doigts, comme si elle allait me mordre. Je prends une grande inspiration et je l'ouvre.

Un bruit sec me fait soudain sursauter.

– Aaah !

Ce n'est pas la valise qui m'a croqué le bout des doigts ; c'est papa qui descend d'un coup la fermeture éclair et passe la tête par l'ouverture.

– Lorian ?

– Euh… je… que… quoi ?

Papa me jette un coup d'œil perplexe.

– Tu fouilles dans mes bagages ?

– Euh… non… c'est que… oui ?

– Pourquoi ? me demande-t-il, très calme, en me faisant le coup du regard qui sait percer le secret des âmes.

Probablement que la plupart des parents se fâcheraient en trouvant leur fils le nez dans leur valise. Mais pas mon psychanalyste de père. Non. Il m'observe attentivement, comme il doit le faire avec ses patients lors d'une thérapie. Il tente de comprendre, d'analyser : que signifie ce geste de ma part ? Manquerais-je d'affection ? De confiance en moi ? Serais-je devenu kleptomane ?

–Je… j'ai oublié mon maillot de bain, je crois. Je… j'ai regardé dans mon sac et je ne l'ai pas trouvé. Je… j'ai voulu t'en emprunter un. Tu en as bien deux ?

Ouf ! Super-Lorian, champion de l'improvisation ! Ce serait encore mieux si je ne commençais pas toutes mes phrases en bafouillant «Je… j'ai», mais papa ne semble rien re-marquer.

–Oui, j'en ai deux, mais ils seront un peu grands pour toi, je pense. En-fin, prends celui qui a un cordon et serre-le le plus fort possible. On ira t'en acheter un plus tard.

J'ai un petit pincement de culpabi-lité en songeant à mes deux maillots roulés en boule au fond de mon sac.

Mon père s'éloigne. Il doit avoir fait sept ou huit pas quand je le rappelle.

– Papa ?

– Oui, Lorian ?

– Pourquoi tu étais revenu ? Tu n'as pas déjà pris ta douche ?

Il passe de nouveau sa tête souriante par la porte de la tente.

– Je revenais pour te dire de cesser de t'inquiéter, Lorian. J'ai simplement envie de passer du temps avec toi, comme n'importe quel père qui aime son enfant. C'est tout. Je n'ai rien à cacher.

Il sort.

Papa a tout deviné. Il est fort. Très fort. Clément Loubier, détective privé.

Chapitre 2

Nous sommes sur la plage depuis quinze minutes à peine. À côté de moi, papa s'étire sur sa serviette.

– C'est fantastique, la beauté de la nature, tu ne trouves pas ?

Je pense d'abord qu'il veut blaguer en faisant allusion aux dizaines de jeunes filles qui défilent devant nous en petit bikini, mais non : il contemple le paysage au loin. Sur ce point, il a raison : la mer est superbe, ses vagues se jettent sur la plage avec fracas. Bon, il faut cependant regarder droit devant. Car si on tourne la tête pour voir les beautés de la nature derrière nous, on est vite ramené à la réalité ! Une grande roue, des montagnes russes, un carrousel et encore bien d'autres manèges font un vacarme terrible et tranchent un peu avec le charme du paysage…

Mon père s'enthousiasme :

– C'est pas le bonheur, ça ? !

En fait, c'est plutôt déstabilisant. Je suis à la plage, au bord de la mer, pour la première fois de ma vie. Dans les films, le héros est toujours solitaire, avec le bruit des vagues et le chant des mouettes, et derrière lui l'empreinte de ses pas sur le sable à perte de vue. Ici, il y a un nombre incroyable de personnes autour de moi. Mes pas auraient tôt fait de disparaître. Et j'ai beau être aux États-Unis, la plupart des gens parlent français.

Le lieu est envahi par les Québécois! Je dois tendre l'oreille pour entendre le bruit de la mer. Quant aux mouettes, elles tournent plutôt autour des dizaines de restos collés les uns contre les autres dans la rue qui mène à la plage. Les gens se baignent, jouent sur le sable, sautent dans les vagues, se font bronzer…

À côté de moi, à ma gauche, une dame d'un certain âge – elle doit avoir *au moins* une trentaine d'années – écrit de façon frénétique dans un carnet. De temps à autre, elle éclate de rire toute seule. À ma droite, à côté de papa, c'est un peu gênant… une jeune fille d'environ seize ou dix-sept ans a oublié de mettre son haut de bikini. Peut-être qu'elle ne s'en est pas rendu compte? Je lui jette un regard intimidé en me demandant si je devrais le lui dire… Oups! non, je me suis trompé : elle en a un, mais si petit que je ne l'avais pas vu !

Tout ça pour dire que, partout autour de moi, il y a des filles absolument superbes, bronzées, souriantes, détendues. Et aussi des gars musclés, une planche sous le bras, les cheveux

un peu longs et délavés par le soleil. Au milieu de tout ce beau monde, sur la plage, il y a… moi. Je suis blanc comme du lait, j'ai les cheveux courts et en broussaille, et je ressemble plus à une échalote qu'à Monsieur Univers. Ajoutons à cela que je suis affublé du maillot de bain de papa, rouge avec des fleurs jaunes, qui me tombe sous les genoux et fait des tonnes de plis à ma taille tellement j'ai serré le cordon…

Je ne peux m'empêcher de penser à Zoé. Un des plus beaux compliments que l'on m'ait fait jusqu'à maintenant m'est venu d'elle. Un jour, elle m'a dit que j'étais *attachant.* Pas beau. Ni séduisant. *Attachant.* Quel garçon de douze ans – presque treize – rêve d'être *attachant* ? Je crois pourtant que c'est l'image que je dégage en ce moment : un garçon *attachant.* Mais ce n'est pas le genre qui semble attirer l'attention ici. Les filles passent devant moi en riant et en discutant, tout à fait à l'aise dans leurs maillots minuscules et colorés, et aucune ne me regarde. C'est probablement mieux ainsi.

J'ai beau m'appeler Lorian Loubier, être d'un optimisme incroyable en toutes circonstances et vouloir devenir un superhéros fort et sûr de lui, je dois avouer que, pour le moment, ce que je vis est plutôt dur pour le moral.

Papa revient à sa serviette après être allé se tremper le bout des ongles des gros orteils dans l'eau.

– Tu ne te baignes pas, Lorian ?

Après tout, pourquoi pas ? Tant qu'à être ici, autant en profiter. Je me lève en tenant mon maillot pour être sûr qu'il reste bien en place et j'avance vers la mer.

Ouh là! C'est… frisquet! Mes pieds s'engourdissent aussitôt. Je me demande s'ils sont bleus? Je me penche pour vérifier et… *wouch*! Une grosse vague me gifle les joues. Les cheveux dégoulinants, les yeux larmoyants, la bouche pleine d'eau salée, je me redresse. Sur la plage, papa me regarde d'un air encourageant, bien au sec, toujours souriant. J'ignore encore pourquoi mon père tenait tant à ce voyage, mais je dois dire qu'il est radieux. Je ne l'ai jamais vu aussi heureux que depuis qu'il fréquente Sarah, la mère de la belle, de l'incroyable, de la sublime… euh… de ma *demi-sœur* Zoé.

Un son aigu me tire de mes réflexions. Près de moi, une fillette rit aux éclats. Visiblement, cela l'amuse que je me sois à moitié noyé. Bon.

Tant mieux pour elle. Non, je ne suis pas vexé du tout. Pensez-vous. Chacun a du plaisir comme il peut. Je fais quelques pas dans la mer pour m'éloigner de la moqueuse. La fillette reste à mes côtés. Elle me regarde, un large sourire sympathique aux lèvres. Elle doit avoir cinq ou six ans et semble chercher quelqu'un pour jouer. Ça y est : en plus de paraître attachant, j'ai l'air d'avoir six ans.

J'avance encore un peu plus dans l'eau glacée. Elle me suit toujours. Je lui tourne le dos. Elle me contourne et se plante devant moi, les mains sur les hanches. Elle a du cran, cette petite. Je jette un œil sur la plage à tous ces gens qui m'ignorent, ces jeunes de mon âge qui ne me remarquent même pas. Après tout, mieux vaut jouer avec elle que de rester seul sur

ma serviette à voir tout le monde
s'amuser. Si une fille me parle, je dirai que c'est ma sœur. Ou une enfant
que je garde. De toute façon, aucune
fille ne m'adressera la parole.

Je pousse un petit soupir découragé
et lance à la fillette :

– Salut !

– *I don't speak french.*

C'est bien ma chance ! Tout le monde parle français sur cette plage et je tombe sur *le* spécimen local et anglophone. Je pense désespérément à mon cours d'anglais et tente de faire la conversation.

– *How… how are you ?*

Pour la discussion, on repassera ! La fillette, qui décidément semble me trouver très amusant – une autre qualité à ajouter à mes charmes ! –, éclate de son rire aigu et, sans répondre à ma question, me prend par la main et se met à courir dans la mer.

Je lui emboîte le pas. Les vagues me fouettent les jambes, l'eau est plutôt froide, mais une fois qu'on y est plongé, elle est tout de même agréable. Nous jouons dans l'eau, nageons sur les vagues qui déferlent, sautons parfois pour les éviter. J'oublie tout : je peux bien me détendre, j'ai encore cinq jours pour mener mon enquête et découvrir ce que me cache mon père. Je hurle de rire et m'amuse comme un petit fou.

Soudain, un cri strident retentit. C'est la fillette ! Elle a lâché ma main et pointe son index vers un objet qui s'éloigne sur l'eau. Affolé, je me penche vers elle pour l'aider.

– Qu'est-ce qu'il y a ? Tu as perdu quelque chose ? Tu as vu quelque chose ? Un poisson ? *A… a fish ?* Une baleine ? Un requin ? Une méduse ?

Mais elle a arrêté de crier et rit à présent de bon cœur en m'indiquant toujours l'objet qui dérive un peu plus loin. Un objet rouge.

Un doute terrible m'envahit tout à coup. Je nage vers cette chose et… oui. C'est bien ça. D'accord. Je ne me trompais pas. Je récupère le maillot de bain de mon père, rouge avec des fleurs jaunes. J'ai tellement joué dans les vagues que j'ai complètement oublié de le tenir à la taille.

C'est la Honte. La Honte suprême. Avec un grand H. J'ai beau m'appeler Lorian Loubier, être terriblement maladroit et me retrouver sans cesse dans des situations que personne d'autre ne vit, cette fois, je bats tous mes records.

J'essaie tant bien que mal de cacher mon anatomie d'une main et d'enfiler le maillot de l'autre en me contorsionnant dans l'eau. Alors que personne ne m'a regardé depuis mon arrivée ici, j'ai soudain l'impression que tous les yeux sont rivés sur moi. Les baigneurs se poussent du coude et ne tentent même pas de réprimer leurs fous rires en me montrant du doigt.

Même sur la plage, tous semblent tournés vers moi.

Eh bien, Lorian, bravo ! Tu te plaignais de manquer d'attention, te voilà servi ! Personne ne s'intéresse aux beaux garçons musclés et dorés par le soleil, maintenant. Il n'y en a plus que pour un grand maigrichon pas bronzé du tout qui a perdu son maillot dans les vagues.

Chapitre 3

Quand je me réveille, j'ai toutes les raisons du monde d'être de mauvaise humeur. D'abord, la journée d'hier a été horrible. Après l'épisode du maillot perdu, je suis resté obstinément assis sur ma serviette pendant des heures sans bouger. Sans même penser une seconde à mettre de la crème solaire. Cette nuit, je me sentais comme un petit poulet couché sur un barbecue tellement ça chauffait partout. J'étais si rouge que je me voyais luire dans le noir. Chaque mouvement dans mon sac de couchage était un véritable supplice.

Autre chose qui n'améliore en rien mon humeur : quand j'ouvre les yeux, j'ai l'impression que nous sommes au beau milieu de la nuit. Je me trompe à peine : il est six heures. Du matin. Et je suis seul dans la tente.

Dehors, je découvre mon père en pleine activité. Il fait bouillir de l'eau sur le petit poêle au propane pour son café. Il me lance d'un ton jovial :

– Bonne journée, Lorian !

Je grommelle :

– Oui, si c'est comme hier…

– Rassure-toi, dit papa de son ton de psychanalyste, ça ne peut qu'aller mieux ! Il faut voir le positif dans chaque chose, mon grand…

Je suis sûr qu'il est écrit quelque part dans la Déclaration des droits de l'homme que ce n'est pas permis de faire de la thérapie à six heures

du matin. Ni d'être aussi exagéré-
ment optimiste. À six heures du matin, quand on a mal dormi, qu'on est
rouge comme un homard bouilli et
que la journée de la veille semble
n'être qu'un affreux cauchemar, on
ne peut supporter ça. On a seulement
envie de bouder, de grogner ou de
garder le silence. C'est ce que je crois.

Je choisis d'essayer les trois options. D'abord, je boude en gardant le silence. Aucune réaction de mon père. Pour être honnête, il ne paraît même pas se rendre compte de ma stratégie. Alors je choisis de grogner :

—Il est un peu tôt, non ?

—Je ne veux rien manquer de la journée ! s'exclame mon père. Et puis avec le soleil et le chant des oiseaux, difficile de dormir.

Papa a toujours du mal à se sortir du lit à la maison. Il ronchonne, s'étire, se rendort, bougonne. Le voilà pourtant qui s'active comme s'il était tout à fait normal de se lever aux petites heures quand on est en vacances. Pas de doute, ça va trop loin : il me cache quelque chose. Qu'est-ce qui le métamorphose ainsi ? Qui le pousse à voyager ? Qui l'empêche de dormir alors qu'il n'a pas le moindre coup de soleil, le chanceux? À moi de le découvrir.

Aujourd'hui, je ne le quitterai pas d'une semelle. J'entreprends une filature, comme les vrais détectives. Je trouverai bien son secret. J'ai lu un tas d'histoires de superhéros, mais malheureusement bien peu de détectives. Les seuls que je connais, Sherlock Holmes et Hercule Poirot, c'est mon père qui m'en a parlé. Ce que je sais, c'est qu'ils partent de presque rien, un petit tas de cendres, un bout de papier déchiré, un mot dans une conversation, bref un détail en apparence anodin pour en arriver à des découvertes incroyables. C'est ainsi qu'il faut faire pour mener à bien mon enquête. Au travail. Lorian Loubier, détective privé.

Ma complice Wonder-Mégane me manque cruellement. J'ai vécu presque toutes mes aventures d'apprenti superhéros en sa compagnie. Si elle était là, il me semble que je saurais davantage comment m'y prendre. Et puis, faire une filature, espionner un suspect, mener un interrogatoire, c'est plus facile à deux: on pourrait se partager la tâche… Bon. Mégane n'est pas là, alors tant pis. Sois grand, sois fort, sois rusé, Super-Lorian.

Je dois m'y mettre. D'autant plus que j'ai une autre excellente raison de suivre mon père pas à pas aujourd'hui: je ne suis pas pressé de retourner à la plage, de voir tous ces regards moqueurs se poser sur moi… D'ailleurs, pendant que j'y pense, première chose à faire ce matin: rendre le fameux maillot de bain rouge à fleurs jaunes.

– Tiens, c'est vrai, papa! En fouillant à fond dans mon sac, j'ai retrouvé mon maillot.

– Super, Lorian!

– Je te rends le tien.

– Génial, Lorian!

Tout est magnifique pour mon père. Je pense que si je lui disais : « Au fait, j'ai mis le feu accidentellement à tes bagages », il me répondrait : « Formidable, Lorian! »

Je m'installe à la table de piquenique pour déjeuner. Je réfléchis à ma stratégie. Je ne trouve rien. Il est décidément trop tôt pour penser convenablement. Puis, papa s'en va aux douches. Prenant à cœur ma filature, je le suis, me lave dans la cabine à côté de la sienne en songeant encore plus intensément à la stratégie à adopter. Toujours rien.

Une fois lavé, papa me lance :

– Va m'attendre à la tente, Lorian. Je fais un petit appel et je te rejoins.

Ça y est : je tiens quelque chose ! Il essaie de se débarrasser de moi. Enfin, un premier indice.

– D'accord, papa.

Je fais mine de retourner vers notre emplacement et, dès que mon père arrive à la cabine téléphonique, à l'entrée du camping, je me glisse derrière la roulotte la plus proche pour l'espionner.

Bon, ce n'était pas une ruse de sa part : il appelle réellement quelqu'un. À sept heures du matin. Bizarre... Le regarder est complètement inutile pour mon enquête. Je dois entendre ce qu'il dit. Je m'approche furtivement. En longeant la roulotte qui me dissimulait, je vois un rond de feu, quelques bûches posées sur un vieux journal. Mais oui, voilà ! Ce journal me donne une idée : il m'aidera à passer inaperçu, à me fondre dans la foule. Tel est le secret de la filature.

En fait de foule, nous sommes à peu près cinq personnes éveillées dans tout le terrain de camping. Les autres dorment. Les chanceux. Mais je ne perds rien à essayer ; j'attrape le journal sous les bûches, le déplie et fais

semblant de le lire attentivement. Je me rapproche de la cabine à petits pas, la tête dissimulée derrière les feuilles jaunies. Je m'appuie nonchalamment contre le mur en face de la cabine téléphonique. Pas moyen d'entendre. Tant pis, je dois risquer le tout pour le tout. Papa me tourne le dos, il n'y verra que du feu.

Je vais discrètement m'adosser contre la cabine, le journal entre les mains. Si quelqu'un me voit, il croira que j'attends pour téléphoner en lisant tranquillement. À sept heures du matin. Frais douché mais encore en pyjama. Une urgence, probablement...

Ainsi installé, je saisis enfin les paroles de mon père :

— Je sais qu'il est un peu tôt, mais je voulais te joindre avant que tu partes travailler, Sarah…

Papa parle à son amoureuse. La mère de la jolie, de la séduisante, de l'indescriptible… euh… de ma *demi-sœur* Zoé. Il continue :

– Oui, tout va bien. Il fait un temps splendide. C'était une idée formidable, ces vacances !

Mon père semble naturel, sincère. S'il n'avait rien à cacher, après tout ?

– Non, pas encore. J'attends simplement le bon moment…

Ah, ah ! Le voilà, l'indice, le petit mot échappé au fil de la conversation qui révèle tout : quel bon moment ? Le bon moment pour faire quoi ? Et si mon père avait décidé de m'envoyer dans un pensionnat pendant la prochaine année scolaire pour être tranquille avec Sarah ?… C'est sûrement ça ! Il ne sait pas comment m'annoncer la nouvelle. Ce sera difficile de le faire passer aux aveux. Comment apprendre à son fils qu'il ira vivre dans une grosse bâtisse inconnue, qu'il partagera sa chambre avec des garçons qu'il n'a jamais vus, et quoi encore ? Au début, papa viendra me visiter une fois de temps en temps la fin de semaine. Et puis, peu à peu, il m'oubliera… Il n'aura jamais le temps, il sera pris par son travail, il partira en vacances avec Sarah…

Troublé, j'entends mon père dire, comme dans un rêve :

– Parfait, à bientôt ! Je t'embrasse.

Et il raccroche. Perdu dans mes pensées, je n'ai pas eu le temps de m'éloigner de la cabine. Papa pousse les portes battantes. Je plonge le nez dans le journal.

– Tiens, Lorian ! Tu as décidé de m'accompagner ?

Il semble étonné. Un peu mal à l'aise, aussi. Comme quelqu'un qui aurait quelque chose à cacher.

– Qu'est-ce que tu fais avec ce journal?

– Euh… je me tiens au courant de l'actualité.

Papa n'a pas l'air convaincu. Il faut dire que, d'habitude, les nouvelles m'intéressent peu.

– Ah bon. Et que se passe-t-il dans le monde?

– Eh bien… je ne comprends pas tout, c'est en anglais. Mais je crois qu'il y a eu une grosse fête en France. Regarde: on voit la tour Eiffel, des feux d'artifice…

Je lui tends le journal.

– Ah oui, oui, oui… je vois, dit papa d'un ton qui me paraît légèrement ironique. Les fêtes de célébration pour l'arrivée de l'an 2000. Ton journal date d'environ six ans, Lorian. Pour l'actualité, on repassera. Tu ne risques pas d'apprendre grand-chose!

Papa s'éloigne en ricanant. Il remarque vraiment le moindre détail. Pas de doute, c'est lui qui a l'étoffe d'un détective privé. J'espère que c'est génétique et qu'il m'a transmis un peu de ses talents… Car pour l'instant, Super-Lorian ne brille pas tellement dans sa nouvelle profession.

Chapitre 4

Toute la matinée, je continue à filer mon père. Il lave la vaisselle du déjeuner sur la table de pique-nique. Je l'aide. Il entre dans la tente pour préparer son sac de plage. Je le suis. Il me dit qu'il doit s'absenter quelques minutes, qu'il va à l'épicerie, à la sortie du camping, acheter des tomates. Je l'accompagne. Je sens que sa bonne humeur vacille. Mais je dois devenir l'ombre de son ombre. Ne jamais m'éloigner. Ne pas perdre sa trace. Je suis en quête d'indices et le moindre mot, le plus petit geste peut s'avérer important. À l'épicerie, je constate que ce n'était pas une feinte de mon père : il achète bel et bien des tomates. Ensuite, nous partons pour la plage.

Papa étend sa serviette sur le sable chaud et s'assoit. Je prends place juste à côté de lui.

– Tu ne vas pas nager, Lorian ?

– Non, je reste avec toi.

Je ne peux pas vraiment dire qu'il saute de joie. Je lui adresse mon sourire le plus charmant. Papa soupire avec, me semble-t-il, un peu d'exaspération.

– Lorian, tu as douze ans…

Je sens le besoin de préciser :

– Presque treize.

– Oui, bon ; tu as douze ans, presque treize. Tu ne peux pas passer ta journée collé sur ton vieux père…

Il tente de nouveau de se débarrasser de moi. Je vois clair dans son petit jeu. En tant qu'apprenti détective privé, je ne devrais pas accepter de m'éloigner. Mais si je reste, je manque de subtilité : il risque de se rendre compte de ma filature. Et puis, pour être honnête, je crois que je m'amuserais en effet un peu plus dans l'eau que planté là à attendre un éventuel indice… surtout que j'ai un maillot à ma taille, aujourd'hui ! J'évalue la situation : autour de moi, personne ne paraît reconnaître le grand maigre qui a réussi l'exploit de perdre son maillot dans les vagues hier. Pas de sourires moqueurs, de regards curieux ou de chuchotements amusés. Tout est revenu à la normale : c'est l'indifférence générale.

Je me lève, je contourne la haute chaise blanche sur laquelle sont perchés deux garçons en short rouge qui ont l'air de s'ennuyer profondément. Ces prétendus sauveteurs ne semblent pas être d'une grande utilité sur cette plage… Depuis hier, je les observe : ils jasent, bâillent, s'étirent, regardent les filles et bronzent. Charmant métier !

J'entre dans l'eau. J'ai à peine fait trois pas qu'un rire aigu résonne derrière moi. C'est la fillette d'hier qui pointe son index vers elle en disant :

– Heather.

Je ne réagis pas.

– Heather. Heather, insiste-t-elle.

Pour ce que j'en sais, Heather est peut-être une maladie étrange ou une marque de vêtement. Mais comme elle insiste, j'en déduis qu'il s'agit plutôt de son prénom.

– *Hello, Heather! My name is Lorian. Lorian Loubier.*

Décidément, Heather me trouve très, très, très amusant. Et je n'ai même pas à faire le clown. Le simple fait de lui dire mon nom provoque un éclat de rire à n'en plus finir. Bon, mon accent n'est peut-être pas terrible, mais quand même, il ne faudrait pas exagérer !

Heather ne paraît pas du tout trau-
matisée par ma mésaventure de la
veille. Elle me fait signe de la suivre et
s'élance vers les vagues. Je cours derrière elle. Elle plonge, émerge, s'ébroue.
Elle essaie de m'attraper et dit :

– *Shark! Shark!*

Son nom de famille, probablement. Heather Shark.

Elle met sa tête dans l'eau, fonce vers moi, s'agrippe à mes jambes pour me faire tomber. Je résiste. Elle sort de l'eau et recommence son manège :

– *Shark! Shark!*

Je ne suis pas très fort en anglais mais, si je ne m'abuse, « Regarde », ça se dit « *Look* », non ? J'ai pourtant bien l'impression que Heather me crie maintenant : « Regarde ! Regarde ! » Peut-être que « *Look* », c'est bon pour l'Angleterre, mais qu'aux États-Unis, l'équivalent est « *Shark* » ?

Heather plonge de nouveau vers moi, me fonce dessus si brusquement que je me retrouve dans l'eau jusqu'au cou, et elle sort la tête en riant :

– *Shark! Shark!*

Je viens de comprendre : elle me montre qu'elle sait nager sous l'eau. « Shark » signifie bien « Regarde », alors. Je lui souris poliment et je dis :

– Bravo ! Bravo, Heather !

Elle n'a pas l'air de comprendre. Elle replonge, s'attaque à mes jambes une fois de plus, les mains dressées sur la tête, puis sort de l'eau et répète :

– Shark ! Shark !

– Mais oui, Heather, je regarde, je regarde !

Je l'applaudis à tout rompre pour lui montrer mon admiration devant ses prouesses. Elle semble un peu ennuyée. Mais enfin, à quoi s'attend-elle ? Qu'est-ce que je pourrais bien faire de plus ? Oui, bon, elle nage sous l'eau malgré son jeune âge ; c'est très bien, mais elle veut que je fasse la vague ou quoi ?

Finalement, elle renonce à me faire son spectacle aquatique et s'éloigne en désignant maintenant la plage du doigt. Elle me fait signe de m'asseoir sur le sable. J'obéis. Elle commence à enterrer mes pieds d'un air malicieux. Décidément, je l'amuse, cette petite. Lorian Loubier, amusant, attachant, distrayant.

Heather ensevelit complètement mes jambes sous le sable : chevilles, genoux, cuisses. Elle me pousse un peu pour que je me couche sur le dos. Je refuse d'abord. Il y a quand même des limites à être amusant.

– *Please…*

Elle m'adresse un sourire gentil comme tout. Allez, je peux bien lui faire plaisir. Et puis, même recouvert de sable des pieds à la tête, je ne serai sûrement pas plus ridicule qu'hier. D'ailleurs, qu'est-ce que ça peut bien me faire ? Personne ne me connaît ici.

Je m'allonge donc entièrement sur la plage. Heather enterre mon corps sous le sable de plus belle. Mes bras, mes épaules et même le contour de ma tête y passent. Seuls mes yeux, mon nez tout rouge du coup de soleil de la veille et ma bouche émergent encore du sable. Heather va même jusqu'à ramasser des algues qu'elle met sur ma tête pour me faire une longue chevelure verte et deux gros coquillages blancs qu'elle place sur mes yeux. J'imagine l'air que je dois avoir ! Heather rit de bon cœur. Elle me dit :

– *I'll be back in a moment. Wait !*

« *Wait !* » Comment ça, « *Wait* » ? Je ne peux pas rester comme ça ! Elle ne va pas me laisser seul ici dans cet état, tout de même ?

Mais oui. Elle le fait. Elle s'éloigne. Je suis coincé dans le sable. Abandonné. Aveuglé par deux coquillages. J'ai bien envie de me débattre même si Heather m'a demandé d'attendre. Combien de temps va-t-elle me laisser ainsi ? Des gens passent autour de moi en riant. Je fais d'abord semblant de m'amuser aussi comme un petit fou et je rigole avec eux. Mais après de longues minutes, je soupire, excédé. Pourquoi ce genre de chose n'arrive-t-il qu'à moi ? Parce que je m'appelle Lorian Loubier, que je suis gaucher, maladroit et fils unique d'un père de moins en moins célibataire ?

Un gentil rire éclate devant moi. Pas le rire aigu de Heather. Je souris poliment. J'entends :

—Mais… c'est Lorian! Lorian Loubier!

Quelqu'un enlève les coquillages posés sur mes yeux.

—Lorian? Qu'est-ce que tu fais là?

Je découvre une jolie fille en bikini bleu… C'est bien ma chance: la jolie jeune fille en question est Élodie, la capitaine de l'équipe de cheerleading de mon école. Celle qui m'a incité à m'inscrire à cette activité. Après Zoé, bien sûr, Élodie est certainement la deuxième plus belle fille de la ville, du pays, et tout et tout.

Et je suis là, prisonnier d'un tas de sable, couché devant elle, l'air hébété, le nez rouge phosphorescent, un bouquet d'algues dégoulinantes sur ma tête. Élodie rit tant que de petites larmes dévalent ses joues bronzées. Je commence à comprendre ce que voulait dire mon père quand il me parlait des vacances auparavant. On n'est nulle part aussi bien qu'à la maison.

Chapitre 5

Heureusement, le ridicule ne tue pas. Même qu'il peut parfois être utile! Si je n'avais pas été enterré dans le sable jusqu'au cou, est-ce qu'Élodie m'aurait remarqué sur la plage? Probablement pas, vu le nombre de beaux gars bronzés qui s'y trouvent au mètre carré. Et si Élodie ne m'avait pas aperçu sur la plage, est-ce que j'aurais passé les deux derniers jours en sa compagnie? Assurément pas. Or, depuis avant-hier, on ne se quitte plus: on nage ensemble, on mange ensemble, on va dans les manèges ensemble. Je la trouve très sympathique. Vraiment très, très, très, très, très sympathique. Je la trouve aussi très jolie. Vraiment très, très, très, très, très jolie. Excepté avec ma meilleure amie Mégane et la superbe, la splendide, la radieuse… euh… ma demi-sœur Zoé, j'ai toujours été extrêmement timide avec les filles. Pourtant, en compagnie d'Élodie, je suis bavard, confiant, très à l'aise. Je la fais même rire… Eh oui, Lorian Loubier, amusant et attachant.

Assis sur mon sac de couchage, je pense à Élodie. Il est six heures moins le quart. Du matin. Papa dort à mes côtés. C'est notre dernier jour complet à Old Orchard ; nous repartons demain très tôt. J'ai adoré ces vacances. Tellement que j'en ai négligé mon enquête sur le secret de papa. Si secret il y a… Je commence sérieusement à en douter. Je n'ai encore recueilli aucun indice valable. Soit papa n'a rien à cacher, soit je suis un piètre détective privé…

Je décide de travailler le coup du regard qui sait percer le secret des âmes. D'abord, je m'étire et ramasse le plus silencieusement possible une lampe de poche près de la porte. Dans les scènes d'interrogatoire, à la télé, les enquêteurs aveuglent toujours les suspects avec une lumière. Ensuite, je braque le faisceau sur mon sac à dos et me mets à fixer mon bagage d'un regard terrible. Pénétrant. Intimidant. Inquisiteur, même. Je regarde le sac et je me répète sans arrêt dans ma tête : « Allez, parle. Tu dois tout me dire. Parle, il faut tout me dire. » Je me concentre, je le scrute avec intensité, la lampe de poche dirigée en plein sur lui. Plus rien n'existe en dehors de nous deux. C'est un combat à finir entre mon sac à dos et moi. Je sens mon regard si persuasif que j'ai l'impression que mon sac va passer aux aveux. Soudain…

– Lorian ?

Je sursaute et pousse un petit cri de surprise.

– Ça va, Lorian ?

Hum-hum. Bien sûr. Cela va de soi. Mon sac n'a pas parlé ; c'est mon père qui vient de se réveiller et qui m'observe d'un air perplexe.

– Qu'est-ce que tu fais avec ce sac à dos, dis-moi ?

Honnêtement, je ne sais pas trop quoi lui répondre. Embarrassé, je me dépêche d'éteindre la lampe de poche et de la déposer sur le sol. Puis, pour éviter les questions de mon père, je me dis que la meilleure défense est l'attaque. Je m'empresse donc de l'interroger d'un ton ferme :

– Je ne fais rien de spécial, papa. Je le regardais, c'est tout. Et toi, ça va ?

– Mais oui, Lorian.

J'aurais bien envie de braquer un faisceau lumineux sur son visage pour l'inciter à tout avouer, mais je pense qu'il réagirait mal. Je me contente de demander d'un ton féroce :

– Tu aimes ton voyage ?

– Mais oui, Lorian.

Papa semble un peu étonné. Je garde le même ton agressif, bien décidé à le faire parler.

– Tu aimes même le camping ?

– Mais oui, Lorian.

– Tu es content d'avoir pris des vacances ?

– Mais oui, Lorian.

Attention, l'heure de vérité a sonné. Je vais frapper un grand coup. C'est le moment du regard qui sait percer le secret des âmes. Je répète dans ma tête : « Allez, parle, dis-moi tout » et je lance :

– Tu as quelque chose de spécial à me dire ?

Mon père hésite, un peu hébété. Ah, ah ! Je m'améliore, j'ai réussi à le déstabiliser. Le suspect va bientôt craquer. Je concentre encore plus toute mon énergie dans mon regard en répétant mentalement « Allez, parle, dis-moi tout »… jusqu'à ce que papa hausse les épaules et réponde :

– Mais non, Lorian. Rien de spécial à te dire.

Visiblement, ma technique n'est pas tout à fait au point. Ou alors elle ne fonctionne pas sur les gens qui sont éveillés depuis cinq minutes à peine. Ou encore papa est sincère et n'a rien à cacher. Tant pis, j'aurai essayé. J'ai de moins en moins envie de jouer les détectives privés. Les indices se font trop rares. Et puis, après ces journées en tête-à-tête, je suppose que si mon père avait eu quoi que ce soit à me révéler – au sujet d'un pensionnat, par exemple –, il l'aurait déjà fait.

• • •

À neuf heures, je suis sur la plage, à l'endroit où je retrouve habituellement Élodie, c'est-à-dire à côté de la haute chaise blanche sur laquelle les gars en short rouge passent la journée à se faire bronzer. Nous avons rendez-vous à dix heures, c'est vrai, mais je ne veux surtout pas être en retard. Et j'en avais assez de tourner en rond au camping et d'entendre les taquineries de papa sur ma « petite copine », comme il se plaît à me le répéter.

Je connaissais un peu Élodie à l'école, mais je la découvre vraiment ici, à Old Orchard, où elle passe deux semaines chaque été avec ses parents. Elle est tout simplement… incroyable ! En plus d'être gentille et jolie, elle est très douée pour les sports. Alors que j'essaie encore d'améliorer mon style de nage petit chien mouillé, elle fait la brasse, le papillon, le crawl. Elle est aussi excellente en anglais. Elle parle cette langue comme si elle avait grandi ici. Euh… non, mon exemple n'est pas bon : à Old Orchard, on parle autant le français que l'anglais ! Disons qu'elle parle anglais comme si elle avait grandi aux États-Unis. Et tout se passe si bien depuis notre rencontre que j'ai même l'impression que moi, Lorian Loubier, gaucher, éternel maladroit et fils unique d'un père psychanalyste, j'en arrive à commettre moins de gaffes. Pas de doute : sa présence a un effet bénéfique sur moi.

Pendant près d'une heure, je lis, je rêvasse, je regarde la mer. Peu à peu, la plage se remplit. Dix minutes avant l'heure du rendez-vous, Élodie me tire de mes pensées matinales.

– Salut, Lorian ! Bien dormi ? Tu viens nager ?

La voilà déjà dans l'eau. Je m'élance derrière elle, en songeant que je n'ai pas revu ma jeune compagne de jeu,

Heather, depuis un bon bout de temps. Depuis le coup de l'ensevelissement dans le sable, en fait. Ou bien ses vacances sont terminées et elle est partie, ou bien elle se sent trop coupable pour venir me relancer !

Je joue dans les vagues un long moment avec Élodie. Un joli bateau blanc se détache sur les flots bleus. La scène est idyllique. Elle le serait encore plus s'il y avait un peu moins de monde autour de nous, mais bon, on ne peut pas tout avoir ! Élodie s'est éloignée et flotte paresseusement sur sa planche. Je veux lui montrer le voilier et je décide de l'impressionner par mes vastes connaissances en anglais. Je repense à Heather et à ses expressions typiquement américaines. Je pointe le doigt vers la charmante embarcation et je dis :

– *Shark ! Shark !*

Avec le bruit des vagues et les cris des baigneurs, Élodie ne m'entend pas. Je hausse la voix :

– *Shark ! Shark !*

Élodie ne bronche toujours pas. En revanche, une dame anglophone qui jouait avec son bébé, juste à côté de moi, me regarde d'un air affolé. Elle prend son enfant dans ses bras en vitesse et se précipite à toute allure vers la plage en hurlant d'un ton suraigu :

– *SHARK ! SHARK !*

Mais qu'est-ce qui lui prend ? Pourquoi tient-elle absolument à ce que tout le monde regarde ce mignon bateau blanc sur fond bleu ?

Aussitôt, c'est la panique. Des coups de sifflet me vrillent les tympans, des voix rudes s'imposent par-dessus les cris, la mer se vide des baigneurs.

– *Get out! Quick!*

Les garçons aux shorts rouges ont quitté leur chaise et courent dans tous les sens pour évacuer la mer. En moins d'une minute, il n'y a plus personne dans la zone de baignade de la plage d'Old Orchard. Les sauveteurs ont la situation bien en main et sont d'un calme impressionnant. Je comprends enfin à quoi ils servent…

Élodie est venue me rejoindre, ayant réussi à me repérer dans la pagaille. Sous le choc, je murmure :

– Qu'est-ce qui se passe ?…

– Quelqu'un a vu un requin.

– Un… un requin ? Ici ?

– Oui. *A shark.* Un requin.

Soudain, j'ai du mal à avaler. Comme si on m'avait coincé une pomme entière dans la gorge. Dans ma tête passe un film au ralenti : je revois Heather, les mains dressées hors de l'eau, comme une nageoire, répétant «*Shark! Shark!*» Pas «Regarde! Regarde!», non, mais plutôt… «Requin! Requin!» Complètement affolé, je ramasse ma serviette et mon sac en vitesse, j'entraîne Élodie vers les manèges en courant. Je suis tellement catastrophé que, sans réfléchir, je lui prends la main.

– Viens vite!

– Où vas-tu, Lorian?

Je réponds, sans cesser de courir:

– Je… je veux… je veux monter dans la grande roue pour voir le spectacle d'en haut.

Ridicule. Mais je n'ai rien trouvé de mieux comme excuse. Élodie me suit sans protester. Elle doit vraiment me trouver un peu étrange en général, car elle ne semble pas juger la situation particulièrement bizarre.

Comme si elle était habituée à ce genre de comportement de ma part. Une chose est sûre : finie la plage pour moi aujourd'hui. Je ne veux surtout pas que la dame que j'ai terrorisée en criant « *Shark !* » signale ma présence aux sauveteurs. S'il fallait qu'ils découvrent que la mer a été évacuée simplement à cause d'un francophone qui voulait impressionner sa « petite copine », comme dit papa… J'entends déjà les commentaires : « Mais oui, j'en suis sûr ; c'est le maigrichon qui a perdu son maillot il y a quelques jours… Celui qui était enterré dans le sable… Vous vous rendez compte ? » Mieux vaut ne pas trop y penser !

Nous voilà, Élodie et moi, devant la grande roue. Elle a laissé sa main dans la mienne. Je lui jette un regard de côté. Elle m'adresse un sourire timide et doux. Mon cœur bat à tout rompre.

Il y a parfois des avantages à être le plus grand des gaffeurs.

Chapitre 6

Je savais déjà que mon père était très intelligent ; je peux maintenant affirmer que c'est un génie ! Élodie et moi avons rencontré papa à notre sortie de la grande roue.

– Tiens ! tu dois être Élodie ? Je suis ravi de te rencontrer. Lorian parle beaucoup de toi.

Quelle approche ! Jusque-là, j'étais plutôt de mauvaise humeur.

– Je suis bien content que Lorian se soit fait une petite copine, a ajouté papa.

De pire en pire. Je commençais à

être carrément en colère. Mon père a poursuivi :

– J'ai une idée : c'est notre dernière soirée à Old Orchard. Je pensais faire un feu à notre emplacement, au camping. Que dirais-tu de te joindre à nous ?

Élodie a immédiatement accepté. Ma colère est tombée d'un coup. Je me suis retenu pour ne pas sauter au cou de papa et l'embrasser devant tout le monde.

Je suis donc assis sur une chaise pliante, près du feu, entre mon père et Élodie. La soirée est douce, le ciel rempli d'étoiles, le terrain de camping quasi désert – tout le monde est au parc d'attractions. Mes pensées dérivent tranquillement. Je suis en train de me dire, par exemple, que toutes mes amies adorent mon père. Il a beau être un cuisinier épouvantable, ma complice Wonder-Mégane ne rate jamais un souper du samedi soir à la maison. Que papa nous serve du macaroni collé au fond du chaudron, du steak carbonisé ou un gâteau qui n'a pas levé, Mégane le complimente à tout coup pour le délicieux repas. Quant à la superbe, la ravissante, la sublime… euh… quant à ma demi-sœur Zoé, elle ne manque jamais une occasion de me dire à quel point mon père est brillant, généreux, merveilleux. Pas attachant ; *merveilleux.*

Élodie semble succomber au charme de papa, elle aussi. Elle est devant le feu depuis une heure et j'en ai déjà appris plus sur elle que pendant toute la dernière année. Tous les deux discutent à bâtons rompus, comme s'ils étaient de vieux amis. Je ne me sens pas exclu : je les écoute, sourire aux lèvres, le nez dans les étoiles, ravi. Et je me dis que j'aime beaucoup Élodie. Vraiment beaucoup, beaucoup, beaucoup, beaucoup, beaucoup.

Soudain, papa se lève.

– Je vais chercher des guimauves. Ça vous tente ?

Il nous quitte en me lançant discrètement un clin d'œil. Je comprends : il veut nous laisser un peu seuls. Un génie, rien de moins, je le répète !

– Ton père est très sympathique, Lorian, dit Élodie.

– C'est vrai.

– J'espère que j'aurai l'occasion de le revoir quand on sera de retour en ville.

Je reste bouche bée, la gorge serrée comme si quelqu'un y avait coincé un pamplemousse entier. Ou c'est presque une déclaration, ou je n'y connais rien en amour. Bon, c'est vrai : je n'y connais absolument rien en amour, alors mieux vaut rester calme. Elle dit peut-être ça simplement pour faire la conversation. Je bafouille :

– Vous… eh bien… tu… tu vas sûrement le revoir. À… à l'école… ou alors aux… aux compétitions de cheerleading.

Élodie fait une petite moue et ne répond rien. Ah, bravo, jeune homme ! Quel séducteur ! Bourreau des cœurs ! Tu sais t'y prendre avec les filles… Je cherche une façon de rattraper ma gaffe en songeant que mon père met vraiment un temps fou à revenir. Il est en train de sculpter les guimauves une par une ou quoi ? Ce n'est pas possible ; qu'est-ce qu'il fait ? Je reprends, toujours aussi grand orateur :

–Et puis… vous… tu… tu vas sûrement le revoir… eh bien… peut-être… enfin… si tu veux… du moins, j'espère… à la maison.

Ouf! c'est dit. Ce fut difficile, mais j'y suis arrivé. Je suis récompensé de mes efforts par le magnifique sourire que m'adresse Élodie. Elle ouvre la bouche pour me répondre et… mon père revient, un sac à la main. Comment? Déjà? Pas possible; il le fait exprès! Il aurait pu prendre son temps un peu. C'était un concours de vitesse ou quoi?

–Et voilà! J'ai même déniché trois branches parfaites pour faire griller les guimauves, lance papa en s'assoyant, tout content.

Il renoue la conversation, comme si de rien n'était. Je me demande bien ce qu'allait me dire Élodie. Serait-il possible qu'une aussi jolie fille, intelligente, sportive et tout s'intéresse à Lorian Loubier, le roi des maladroits ? Ne t'emballe pas, Lorian. Je prends une guimauve… et une grande inspiration. Je place le bout de ma branche au-dessus du feu.

— Tu dois chercher la braise, m'explique papa. Sinon, ça risque de brû…

Il n'a pas le temps de finir sa phrase que ma guimauve est en feu. Je me connais : je suis tout à fait le genre à agiter la branche vigoureusement pour éteindre la flamme. La guimauve va s'envoler et atterrir sur la tente,

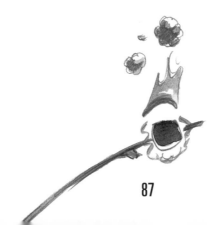

la toile s'embrasera, et l'incendie se propagera jusqu'à la tente voisine. Je pourrais même mettre le feu à tout le camping, j'en suis sûr. Et il ne faut absolument pas que ce genre d'exploit arrive maintenant, devant Élodie. Première chose à faire: ne pas me mettre à courir partout avec la guimauve enflammée. Je retire la branche du brasier et fais lentement quelques pas vers l'arrière. Deuxième chose à faire: ne pas balancer la branche dans tous les sens. Je me contente de la secouer doucement en restant sur place et en soufflant sur la guimauve pour l'éteindre. Tout va bien. Je maîtrise parfaitement la situation. Mais la guimauve brûle toujours.

– Attends, me dit Élodie, je vais t'aid… AÏE!!!

Oh non! Catastrophe! Quand Élodie

m'a parlé, je me suis tourné vers elle...
et en me tournant, j'ai aussi tourné la
branche… et au bout de la branche,
il y avait la guimauve en feu! Élodie
l'a reçue sur la main. Elle secoue ses
doigts, les yeux pleins de larmes.

—Vite, viens avec moi, dit mon père.

Il entraîne Élodie près du robinet
fixé à un poteau de bois derrière la
tente.

—Laisse ta main sous l'eau froide.
Voilà…, fait papa d'un ton rassurant.
Ça ne paraît presque plus. Ne bouge
pas, je vais enlever les morceaux de
guimauve collés à ton doigt. Tu vois,
presque rien. Tu auras une petite clo-
que d'eau sur l'index demain et c'est
tout.

Je ne sais pas comment il fait pour
être si calme, si posé. Je suis en état
de panique. Mes pieds sont cloués au

sol comme si on avait coulé du ciment par-dessus, mon cœur bat à toute vitesse, et ma gorge… ma gorge est si serrée que j'ai l'impression qu'on y a glissé un ballon de basket-ball. Je devrais me précipiter près d'Élodie pour m'excuser, mais je reste là, incapable de bouger, incapable de parler, incapable de penser. J'arrive à peine à respirer.

Derrière la tente, papa tend le cou et me lance un regard qui signifie clairement : « Lorian Loubier ! Viens ici tout de suite ! » Je me ressaisis un peu et m'approche.

— Je vais voir si j'ai une petite crème pour apaiser tout ça, dit papa en s'éloignant et en me laissant de nouveau seul avec Élodie.

Avec Élodie qui doit être terriblement en colère contre moi. Elle a bien raison de m'en vouloir ; il n'y a que moi pour brûler une fille qui me plaît. Assurément, elle ne me parlera plus jamais. Peut-être même qu'elle racontera à tous les élèves à quel point je suis stupide. Je devrais songer à trouver une nouvelle école. Après tout, le pensionnat de mon père n'est probablement pas une si mauvaise idée.

— Lorian, murmure doucement Élodie, ce n'est pas si grave…

Je lève les yeux vers elle. Elle ne semble pas en colère.

— C'est juste une petite brûlure, un accident. Ce sont des choses qui arrivent. Ne t'en fais pas comme ça. Tu as l'air tout à l'envers…

— Je suis vraiment désolé, Élodie. Excuse-moi. Je fais toujours des gaffes. Surtout…

Je m'arrête, incapable de poursuivre. Mais Élodie, les yeux dans les miens, insiste :

—Surtout ?…

—Surtout quand je veux impressionner quelqu'un.

Élodie sourit. Elle ferme le robinet.

–Mais je suis déjà impressionnée, Lorian. Tu es un garçon très…

Je croise les doigts. Pourvu qu'elle ne dise pas *attachant*! S'il te plaît, Élodie, ne dis pas attachant… Elle continue :

–… un garçon très gentil.

Gentil?! C'est pire que tout. Quel garçon de douze ans–presque treize–rêve d'être gentil? C'est tout moi : gentil et attachant. Un séducteur-né. Élodie reprend :

–Tu es aussi très spécial… et je te trouve… je te trouve beau.

Et là, à ce moment précis, avant que j'aie pu réaliser ce qu'elle vient de dire, Élodie m'embrasse. Sur les lèvres. Elle pose sa bouche sur la mienne. Et c'est tout simplement… MERVEILLEUX! INCROYABLE! EXTRAORDINAIRE! MAGNIFIQUE! INDESCRIPTIBLE! J'ai peur d'exploser tellement mon cœur bat vite, tellement mon souffle s'accélère, tellement mes poumons se gonflent. C'est mon premier *vrai* baiser.

La magie est rompue par une voix près du feu.

– J'ai trouvé la crème, crie papa, au loin.

Je reste muet, incapable de dire un mot. Élodie répond :

– Parfait, on arrive ! Tout va bien, monsieur Loubier. Ça ne fait plus mal du tout.

Elle m'entraîne avec un air malicieux vers le feu. Je la suis sans regarder où je vais. Je n'arrive plus à détacher mes yeux d'Élodie. Je contemple son beau visage, son regard qui brille, son sourire doux, et je me dis que toutes ces années je me suis trompé. Ma demi-sœur Zoé est jolie, c'est vrai, mais décidément, elle n'a pas le charme d'Élodie, cette petite étincelle dans les yeux, ce sourire renversant… Élodie est la plus jolie fille du pays, de la planète, de tout le système solaire. Et, en plus, Élodie m'a embrassé. Moi. Lorian Loubier.

YÉÉÉÉÉÉÉÉÉÉÉÉÉÉÉÉÉÉÉÉÉÉÉÉÉ!!!

Chapitre 7

Voilà. Les vacances sont terminées. Nous sommes sur le chemin du retour et il reste à peine quelques minutes de route. Conclusion du voyage : je rêve toujours de devenir superhéros, mais je suis un bien mauvais détective privé ! Pas parce que je n'ai trouvé aucun indice, non… plutôt parce qu'il n'y avait rien à chercher ! Nous arriverons à la maison dans quelques instants et papa ne m'a fait aucune révélation-choc. Pas de pensionnat en vue à l'automne ! Je me suis inquiété tout ce temps pour rien…

N'importe quel détective digne de ce nom aurait vite compris que l'affaire était classée. Il n'y avait pas d'enquête à mener sur le sujet.

Papa semble très content de ses vacances. Malgré les longues heures de route que nous venons de faire, et même si en quittant Old Orchard nous nous sommes trompés trois fois de chemin avant de réussir à retrouver l'autoroute, il chante à tue-tête, il est tout bronzé et reposé.

– C'est une habitude qu'il faudra garder, Lorian ! On devrait prendre des vacances ensemble tous les ans, qu'en dis-tu ?

Ce que j'en dis ? Je dis oui, pardi ! Je suis même fou de joie à cette idée ! Je viens de passer l'une des plus belles semaines de ma vie.

– Alors, tu as envie de me parler de

ta petite copine? demande papa pour la dixième fois.

Mon père est décidément un bien meilleur détective privé que moi. Hier, dès notre retour près du feu, il a senti qu'il s'était passé quelque chose, j'en suis sûr. Son regard a changé, son ton était un peu ironique, et il n'arrête pas de me bombarder de questions sur Élodie depuis notre départ ce matin. Mais je suis capable d'être fort, moi aussi, à ce petit jeu. Je ne dirai rien, foi de Super-Lorian.

– Raconte, Lorian. Tu peux bien te confier à ton père…

Il aura beau insister et dire tout ce qu'il veut, je serai muet comme une carpe. Pas un mot. Je suis encore sous le choc; je crois que je ne saurais même pas comment parler d'Élodie. Mais papa est persévérant.

–Tu as le droit d'avoir tes petits secrets, bien sûr, pas de problème. Dis-moi seulement une chose : tu l'as embrassée, pas vrai ?

Non et non. Je reste silencieux comme une tombe. Rien ni personne ne pourra me soutirer un renseignement, bon. C'est dit.

Nous apercevons notre maison au bout de la rue. Papa stationne la voiture dans l'entrée, puis il se tourne vers moi. Et alors… oh non ! Il me fait le coup du regard qui sait percer le secret des âmes. Il plonge gravement ses yeux dans les miens et me demande :

– Tu l'aimes beaucoup ?

Et moi, Lorian Loubier, qui m'étais promis de garder le silence, d'être tout ce qu'il y a de plus muet, je craque complètement sous le poids de ce regard. Mais comment fait-il ? Il faudra vraiment que je m'entraîne. En moins de deux minutes, tout y passe. Je me transforme en véritable moulin à paroles. Je ne suis pas une carpe, je suis une pie.

– Oui, je l'aime beaucoup. Et elle… elle m'a embrassé. Et on… on va se revoir. Et je… je suis fou de joie. Et c'est… c'est la première fois que je vis ça avec une fille. Et puis…

Je parle sans arrêt jusqu'à ce que je sois obligé de me taire pour reprendre mon souffle.

– Je suis bien content pour toi, mon grand. L'amour est une chose merveilleuse, dit gentiment papa avec un petit soupir. J'ai bien hâte de revoir Sarah, d'ailleurs !

Papa sort de la voiture, tout joyeux, et il va chercher les bagages dans le coffre. Il est vraiment bien, mon père. Je suis heureux d'avoir partagé ces vacances avec lui. Je suis heureux de pouvoir me confier à lui. En fait, je suis heureux tout court ! Je me précipite pour aider papa à porter les valises. Je me demande si je devrais lui parler des doutes que j'ai eus au début de la semaine ? Je suis sûr qu'il trouverait ça drôle !

Mon père déverrouille la porte d'entrée. Décidé à lui confier mes soupçons absurdes, je m'approche de lui. Au moment où j'ouvre la bouche, il se retourne brusquement vers moi et déclare à toute vitesse :

– Au fait, Lorian, j'allais oublier : je voulais te dire quelque chose… Imagine-toi donc que Sarah et moi, nous allons nous marier à l'automne. Dans un peu plus d'un mois. Je ne savais pas trop comment t'annoncer ça… Voilà ! C'est fait !

Et comme si de rien n'était, il attrape sa valise et entre dans la maison, me laissant seul dehors, la bouche ouverte, complètement sous le choc. Quoi ? Mon père va se marier ? Nous ne vivrons plus tous les deux, comme nous l'avons toujours fait depuis douze ans – presque treize ? Sarah va habiter avec nous ? Et ma demi-sœur Zoé aussi ? Et moi, tout ce temps, seul avec mon père, je n'ai rien deviné ? !

Eh bien ! Sherlock Holmes et Hercule Poirot n'ont pas à s'inquiéter : moi, Lorian Loubier, gaucher, maladroit et fils unique d'un père psychanalyste plus du tout célibataire, je ne deviendrai jamais détective privé…

Martine Latulippe

En partant en vacances sur la côte est des États-Unis, Martine Latulippe était loin d'imaginer que l'inspiration lui viendrait soudainement… sur la plage. Pourtant, alors qu'elle faisait un château de sable avec ses filles, elle a vu Lorian Loubier, blanc comme du lait, sautant dans les vagues dans un maillot de bain trop grand pour lui, accumulant gaffe sur gaffe… Martine l'a trouvé si charmant qu'elle n'a pu s'empêcher d'écrire cette nouvelle aventure de Lorian !

Dans la même collection

Achevé d'imprimer en juillet 2006
sur les presses de Imprimerie L'Empreinte inc.
à Saint-Laurent (Québec) - 67263